Quand le chat est parti

Texte et illustrations de
CAROLINE MEROLA

la courte échelle

Les éditions de la courte échelle inc.
5243, boul. Saint-Laurent
Montréal (Québec) H2T 1S4
www.courteechelle.com

Révision : Sophie Sainte-Marie
Conception graphique : Elastik
Infographie : Sara Dagenais

Dépôt légal, 3ᵉ trimestre 2007
Bibliothèque nationale du Québec

La courte échelle reconnaît l'aide financière du gouvernement du Canada
par l'entremise du Programme d'aide au développement de l'industrie de l'édition
pour ses activités d'édition. La courte échelle est aussi inscrite au programme
de subvention globale du Conseil des Arts du Canada et reçoit l'appui du
gouvernement du Québec par l'intermédiaire de la SODEC.

La courte échelle bénéficie également du Programme de crédit d'impôt pour
l'édition de livres – Gestion SODEC – du gouvernement du Québec.

Catalogage avant publication de Bibliothèque et Archives nationales du Québec
et Bibliothèque et Archives Canada

Merola, Caroline

    Quand le chat est parti

    (Collection Album)

    ISBN 978-2-89021-942-7 (br.)
    ISBN 978-2-89021-943-4 (rel.)

    I. Titre.

PS8576.E735Q36 2007   jC843'.54   C2007-940659-9
PS9576.E735Q36 2007

Imprimé en Chine

Pour Isabella et Alexandra,
les deux jolies souris d'Aylmer

Quand le chat est parti,
les souris font des folies.
Elles sortent la nappe blanche
et la vaisselle du dimanche.

Elles courent, elles dansent,
elles se remplissent la panse.
Elles se gavent de dessert,
puis jettent les miettes par terre.

Quand le chat est parti,
les souris se moquent de lui.
Elles cachent ses jouets
derrière le frigo
et versent son lait
dans le lavabo.

Elles plongent dans les tiroirs,
chantent devant les miroirs.
Tant de liberté les ravit,
c'est vraiment la belle vie!

Plus rien ne les retient.
Elles se roulent dans la poussière.
C'est extraordinaire,
le monde leur appartient!

Elles font le tour du propriétaire
au volant de leurs petites voitures.
Le nez au vent, les fesses en l'air,
elles se perdent dans la nature.

Au bord de l'eau,
elles lancent de gros mots.
«Bandes d'impolies!» leur répond l'écho.
Alors les souris en délire
en inventent de bien pires!

Lorsque tout est permis,
que rien n'est défendu,
c'est comme manger sans retenue;
on finit tout étourdi.

Mais dans la nuit noire,
les petites cherchent leur rue.
Les voici qui s'égarent,
elles sont complètement perdues!

«Quel malheur, quand on y pense,
que le matou soit en vacances!
Il nous aurait trouvées bientôt
et toutes ramenées sur son dos.»

Soudain, une ombre fine
se profile au coin:
«Allez, venez, les coquines,
la maison n'est pas loin.»

C'est le chat, leur ami!
Elles l'ont reconnu!
Elles sautent dessus, trop émues
pour dire bonsoir ou merci.

Une souris plus dégourdie
se penche et lui confie:
«C'est vrai que tu es sévère,
tu ne nous laisses pas tout faire.»

«Parfois tu cries trop.
Mais quand tu n'es pas là,
si tu savais, mon gros,
comme on s'ennuie de toi!»